LEE EUN HYE
SPECIAL EDITION

BLUE

이은혜

LEE EUN HYE
SPECIAL EDITION

BLUE

이은혜

BLUE

LEE EUN HYE
SPECIAL EDITION

BLUE

이은혜

6 이은혜

학산문화사

LEE EUN HYE SPECIAL EDITION

BLUE 6권

서로에게 누군가가 생겨 헤어지는 일은 없을 거야.
우리의 공간에 들어온 모두가 하나 되는 정원을 가꿀 테니까

나, 하루 파업할 거야.
승표한테 같이 놀러 가자.

바보야…,
그냥 놀기만 하자는 거
아니야.

어차피 내일
클래스 휴강이니
우리 커플 댄스 안무
완성하자고.

피트랑은
야경 데이트 하면서
안무 짰다며?

피트 놈에게
리허설 전까지
한 동작도 보이기
싫다~!

해준아~.

장난이야.

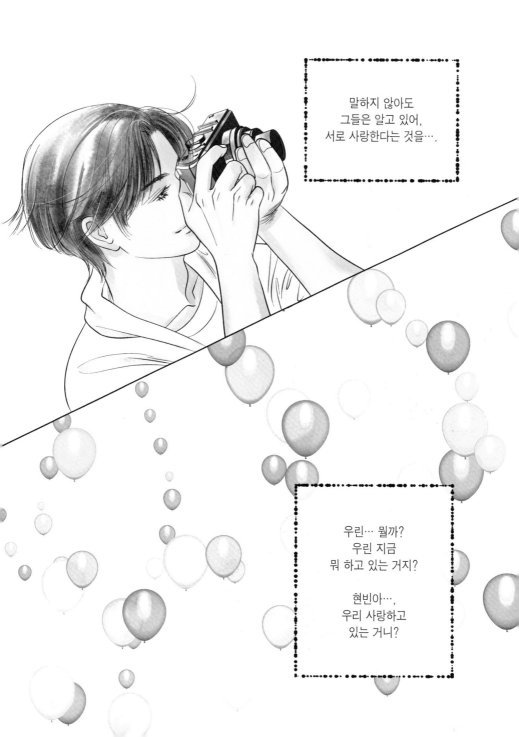

말하지 않아도
그들은 알고 있어,
서로 사랑한다는 것을….

우린… 뭘까?
우린 지금
뭐 하고 있는 거지?

현빈아…,
우리 사랑하고
있는 거니?

조수~!
과일들 전부
네모 썰기 해줘.

옛 썰~!

아니다, 조수~,
감자 껍질 먼저
까도록!

옛 썰~!

내가
도울 일은 없어?

나가주는 게
돕는 거야~.

밀당 커플에게 쫓겨났어.
저녁을 준비한다고
산책이나 하고 오라네.

해준이랑 연우도
온다고 연락 왔어.
일 끝났으면
형도 다시 와라.

다들 모이면…,
한여름 밤의
크리스마스
파티 같겠네.

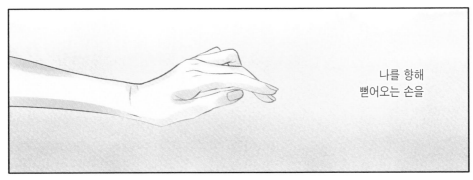

나를 향해
뻗어오는 손을

맞잡아주는 것.

이게 사랑이 아니면 뭐야.

지금…, 현빈이랑 같이 있을 거야.

현빈이 왔어? 언제? 왜 안 들어오는데?

살짝 기분 더럽네~. 언제 나 몰래 내통한 거야?

그게 그러니까….

현빈이 어쩜 여기까진 안 올지도 몰라.

왜?

해준이랑 불편해서.

못 찾겠다~, 꾀꼬리~. 어디어디 숨었니~.
승표야~, 나와라~! 현빈아~, 노올자~!!
맥주 파티는 불꽃놀이 구경하며 같이 해야지~.
오오~, 숲속은 확실히 더 어두운걸?
곧 해 떨어지는데 불빛도 없이 깜깜해지면 어떡해! 그냥 불꽃놀이 언덕이나 가자고!
어린애도 아니고, 뭔 걱정이여~, 알아서 돌아오겠지~.
근데 해준 소년, 맛난 거 배터지게 먹였는데 왜 갑자기 저기압이래?
너무 먹어 탈난 거 아님? 똥 싸느라 못 온 걸 거야! 조울증도 아니고 갑자기 뭔 저기압~.
그래~. 너무 먹더라~, 짜식이~.

어? 다들 어디 갔지?
그새 한바탕 파티를 끝내고
전망대 가셨나?

같은 공간에서
함께 웃는 시간이
이것이 마지막이라는 것을
알았더라면,

울 현빈이
모처럼 용기 냈는데
관객이 없네.

지금이라도
도망칠까?

차라리
그러지 그랬어.

진짜 거지같네.

원망으로
감정을 소비하기보다,
감사하며 보다 충실한 시간을
보냈을 것이다.

진사준
최가벽

여섯 살 겨울에
남겨진 아이를
데려올 수 있는 사람은
오직 한 사람뿐이야.

왜 이렇게
전화를 안 받아?

죄송해요.
소리를 들으면서도
손가락을 움직일 수
없었어요.

공연과 시범 갤러리
동시 진행하느라
너무 피곤했나 봐요.
현빈이 도움 없었으면
정말 죽을 뻔했어요.

소화제 도움 받아
속을 좀 채우려는데
약만 먹으면
잠이 쏟아져요.

에구머니나!
교수님!
어쩐 일이세요?

한국에
여름특강 가신 것
아니셨어요?

번번이 참 놀랍군요.
말씀드린 적 없는 일을
늘 알고 계시네요.

마틴 부인이야말로
어쩐 일이세요?
청소는 매주 수요일
아니었던가요?

아아…

그게 사실은…,
지금 댁에 방문자가
와 계세요.

누가….

아…,
이런!

고수님~,
헉헉~.

말씀을
끝까지 듣고 가셔야지…,
에고, 숨차라~.

누구시죠?

아드님이 아니라,
그의 친구예요.

허락 없이
실례를 범했습니다.
죄송합니다.

마틴 부인은
극구 거절하셨는데,
제가 떼를 쓴 것이니
그녀를 나무라지
말아주세요.

꼭 그래주시면
좋겠습니다.

당신의 손을 놓친 이후
다른 그 어떤 손도
잡지 못했으니까요.

모두가
아는 것을···,

나의 두 손으로
너를 그 겨울에
가두고도 몰랐다니!!

그 추운 바다에 홀로 남아
얼마나 외로웠을까!

잘못 없이 부당한 벌을 받으며
얼마나 무서웠을까!

너를 향한 원망이 아니었는데….

내 눈물을
네가 전부 맞고 있었어.

어머니!!!

하윤이 손
놓지 마요!!!

그것도 모르고
녹지 않는
네 마음과 똑같이
내 가슴도 겨울이었지.

네 아버지를 원망하며
어린 네게
잔인한 선택을 재촉했어.

떠나는 법을
알려주지도 않고
나 혼자 도망쳤어!!

나로 가득 차서
널 담지 못하고
손을 놓았어….

내 발끝을 따라
너의 울음소리가
들려오는데!

돌아가 너의 눈물을
닦아주어야 했는데!!

무의식속에서도
절대 놓치면 안 되는
그 손을

놓 아 버 렸 어 !!!!

윤아!

이런 내게…!
다시 손을 내밀어줄 수 있겠니?

어머니….

사랑은 주는 것으로
완성이란 것을
그때 알았더라면─

우리가
시간의 강을 건너는 일은
없었을 것이다.

하지만 우린,
사랑 때문에
죽을 수도 있는
거친 청춘의 숲을
달리고 있었다.

거슬리는 부록 같은 건
쓰레기통에
처박으면 되잖아.

부록이 맘에 안 든다고
메인을 포기하는 건
결국 메인만으로
충분하지 않다는 소리
아닌가?

계속 할 거야?
이해준!

아니,
그만할 거야.

그럴듯한
마침을 하려고 했는데,
똥같이 끝나 기분 더럽지만
어쩌겠어.

잘 가라.

두 번 다신
마주치지 말자,
길바닥에서 보더라도
무시하자, 우리.

해준아!

왜? 엮어 팔기 아니면
네 우정도 못 사는 거냐?
이젠 들러리 없이
우리끼리 만날 수 없는 거야?

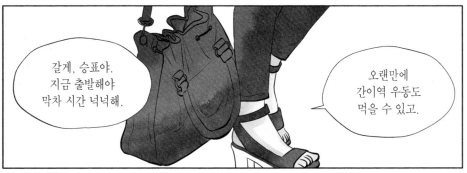

갈게, 승표야.
지금 출발해야
막차 시간 넉넉해.

오랜만에
간이역 우동도
먹을 수 있고.

남의 숙제 기웃거린
벌 받았다고
생각하지, 뭐.

주제넘은
줄반장이 나대서
웃기긴 했지만
상관없어.

그래, 줄반장.
아무쪼록 승표
잘 지켜주기 바란다.
절대 그 무식한 우정
변치 마.

어차피 인사만 하고
간다고 했잖아.

변질되면…,
죽여버릴 거야.

네 얼굴
한참 보고 충전했고,
나중에 승진 형님께
칭찬받을 거니까
목적 달성!

정말
네가 가자고 하면
그럴 수 있어.

그래서 말 못해.
내가 원하면
넌 들어줄 테니까.

정말―.

승표야…,
사실 난 이미
숙제를 끝냈어.

네가 숙제를
마치는 날을
기다렸다가
함께 제출할 거야.

그 동안만
널 욕심낼게.

그래버릴까….

헤어짐이 바로 앞에
준비되어 있다는 것을 알았더라면
너를 더 꼭 안았을 것이다.

고백 후 기다리는 답이 원하는 것과 다를 경우,
마주볼 수 있는 거리를 잃게 될까 두려워
질문을 가슴에 묻지 않았을 것이다.

사랑한단 말은
사랑하는 그때에
해주어야 한다는 것을
알았더라면―,

우리가 나중에 알게 될 것을
그때 깨달았더라면―.

절대 놓지 않겠다던 손을 놓는다.

다시 잡을 수 없다는 걸 안다.

이게 마지막이란 걸 안다.

끝이라 말하지 않았지만

내가 아는 것처럼

너도 안다.

친구로서 예를 갖추고
정중하게 선택한 이별이
심술궂은 선물을 내민다.
이건 사랑이야.

하지만 이젠
건너간 사랑이지.

난 널 사랑했구나.

난 널
많이 좋아했구나.

물리적 공간과
시간을 공유할 수 없겠지만
너란 존재는
내 마음 최후의 보루야.

절망의 미로를 헤맬 때마다
초록 등을 켜고
길을 안내하는 비상구야.

해준은
까불다 맞을지 모르니
보내면 안 돼요~.

친구끼리 싸우며
크는 거지, 뭐~.

연우가
승표 잘 달래서
데리고 올 거야!

자 식들~
신났네~

유진 남규

······.

하···

이제 오니?

현빈이는···
잘 갔어?

연우야!
혼자 있었던 거야?
왜 안 갔어,
불꽃놀이···?

······미안해.

미안한 건 나야.

언제나
나를 위로하는 건
너잖아.

수많은 감정의 상처를
아물게 한
너의 상냥한 말들.

놓고 온
사랑을 볼모로
여전히
마법의 약을 요구하며
뻔뻔하게
위로받고 있는 건
나야.

정말이지
비겁하고 나약한
내가 너무 싫다….

미안해, 연우야.

BLUE

BLUE

색의 공감지대에서 만나는
로맨틱 라이프 게임

그래그래~,
알았으니까
고백할 준비되면
말해.

또 사라지거나 하면
이번엔 진짜 안 봐! 알아?
네 존재를 내 기억에서
완전 삭제해버릴 거라고!
못된 지지배야!!!

시간이 필요해요.
내게도, 그에게도.

도망치고 싶으면
나한테 와.

길게 걸리지
않을 거예요.

기꺼이
받아들이기로 한
자신과의 약속,
내가 죽도록
아파한 고통을
당신이 똑같이 겪는 거
싫어….

그럼,
내가 참고 기다려온
시간들이
의미 없잖아.

당신 힘들게 할 거면
그런 인내 따윈
필요 없었잖아.

서로 떠날 수 없는
우리에게 기적처럼 찾아온
이별의 기회일지 모르니까,

조금만 기다려줘……

그동안의 무례를
전부 갚을 수 있도록
최선을 다할 테니,

전력으로
대결해주세요,
피트 교수님.

우리가 함께한 이후
줄곧…

난 너에게
못해준 게 너무 많아,
승표야….

특별공연 3인무.
이해준, 채연우,
피트 슐츠.

친구라는 이름으로
고문하고 매달렸어.
다 이해하는 척하며
철저히 이용하기만 했어.

비겁한 위선을 서슴지 않았어.
붙잡지도 않으면서
멀어지는 것도 싫었지.

너를 따라
그녀를 바라볼까 봐
질투하고,
상심한 얼굴로
너의 시선을 끌었어.

이기적으로
너의 불행에 침묵했어.

네가 떠나면
해준이도 떠날까
무서웠어.

그 중 가장 나빴던 건
너의 어머님 보내던 겨울…,

창백한 너를
안아주지 못한 것.
같이 울어주지
못한 거였어.

처음 해준에게
이야기 듣던 날도
혐오스러운 자기연민의
눈물만 흘렸지,
널 위해 울지 못했어.

사랑을 방패삼아
틀어진 집착으로
모두의 순수를 다치고
평생 지울 수 없는
깊은 흉터를 남겼어.

용서해달라고 말 못해.
미안하단 말로는 모자라.

그럼 이제,
누구의 손을 잡고
하늘을 날 거야?

그 어떤 손에도
의지하지 않고
스스로의 날개를 펼 거야.

기꺼이
혼자 남겨질 거야.

우린 너무 어려서
사랑의 환상을
사랑했는지도 모른다.

자신의 머릿속에 그려진
이상형을 짜 맞추느라
그 틀을 벗어나는 것은
베어내고 강제로 밀어 넣으며….

그렇게
갖가지 상처로 고통스러운
여름을 지나
우리의 마지막 겨울이
시작되었다.

11월 첫눈인데 폭설이야.
저녁 때 엄청 막히겠어.
좀 일찍 들어와.

응.
짐 정리는 잘 돼가?

꼭 필요한 것만
고르는데도
짐 가방이 벌써 세 개야.

끝이 없겠어.
다섯 개로 정하고
들어가는 것만
가져가야겠어.

있지, 형,
나 오늘 할머님께
실토하려고.

그냥
출발하는
당일에 하지?

준비도 몰래 했는데,
도망치듯
떠날 순 없잖아.

너 정말 아직도
할머니를 모르는구나.
그대로 주저앉게 될 수 있다.

내가 말씀드리지 않은 이유는
미리 속상하게
하고 싶지 않았던 것뿐이야.

언제나처럼
형이 대신 맞게 될 테니,
최대한 덜 아프게
할머니 기분은 올려놓을게.

승표야!
승표야!!!

네~, 할머니!
저 여기 있어요!

들었어, 지금?
심상치 않은
목소리 톤이셔.

아무래도…,
들킨 것 같지?

천천히 와, 형.
잘 수습해놓을게.

네 방에 잔뜩 있는
짐 가방들은 다 뭐니?
또 어딜 여행하려고?

네…, 할머니.
말씀 드리려고 했는데
먼저 보셨네요.

근데 뭐가 그리 많아?
이사라도 가는 줄….

승표야! 설마…,
안 돌아올
생각인 게야?!

공부하러 가요,
할머니.

이번엔 아주
오래 걸릴 거예요.

호음~,
이제 녀석의 방에
자주 들어가시네요?
영상집도
열심히 보시고~.

서울…,
저도 같이 갈까요?

반항할 시,
녀석의 머리채를 잡아끌
억센 힘이 필요하지
않으시겠어요?

아,
제가 나갈게요.
행운목 분갈이
화분일 거예요.

배달
부탁했거든요,
무거워서.

차는 내가 끓이지.

빨리 오셨네요?
바로 출발하셨나 보다.

이쪽으로 들어….

…누구세요?

차 교수님을
뵈러 왔습니다.

녀석은 잘 지내나요?

자네는 그만 부탁한 자료정리를 해주겠나?

어쩐지 불길한 느낌!

네…, 교수님.

쳇!

교수님을 타깃으로 잡다니! 뭐지? 이 여자!

마치 라스보스의 등장 같은 이 느낌…. 제기랄~.

하윤이 떠나기 전까지 온갖 소녀들의 방문 행렬을 겪는 동안 그들의 표정만으로 녀석과의 관계를 가늠할 수 있는 눈이 생겼다.

그들의 욕망과는
전혀 다른 표정….

첫눈에 전해졌다.

그녀가
무슨 말을 할지
왠지 알 수 있었다.

거울처럼 마주앉은
자신의 과거 그대로다.

아이를
지킬 수 있도록
도와주세요.

그를 떠나는 건
두렵지 않지만,
이 아이만은
떠나게 하고 싶지
않아요.

떠날 수 있다 하지만
떨리는 손끝이
얼마나 녀석을
사랑하는지 말한다.

자신도, 아이도
잃게 될까 겁이 나서
도망쳐 온 곳이 여기예요.

담담한 어조지만
간신히 버티고 있다.

겪지 않아도 될 일들이
나로부터 주어졌는지도
모른다.

한 가지 부탁이 있습니다.
어머님께는 모든 상황을
알려드렸으면 합니다.

지금의 당신에게
해줄 수 있는
그녀의 역할마저
임의로 거두지 않길
바랍니다.

엄마가 행복해야
아이도 행복하니까….

…엄마!

준모야,
뭐가 그리 바빠?
저녁 한 끼 먹으러 못 와?
입영날짜 다음 주라며?
이모 섭섭해서
그냥 가면 안 돼.

그러게요.
군바리 위로한다고
보자는 놈들이
많아서요.

지금도
불려나가는
중이에요.

애인 배웅 받는다고
엄마는 집에 있으라 했다며?
못된 놈!
아들 하나 있는 게 무정하게!

엄마 너무
우시니까 그렇지~.
아시잖아요, 이모.
볼 때마다 우신다고~.

유난스럽긴 하지,
네 엄마가! 하하.

참, 아미랑 통화했니?
저번에 전화 왔을 때
네 이야기 했는데.
너랑 계속 어긋나서
통화하기 힘들다고.

전화 할게요.
시차가 있고
매일 술떡이다 보니
못했어요.

그려~,
혼자 일하느라 외로울 텐데
자주 전화해줘.
군대 가면 그나마 못하잖아.

이모가 가서
누이랑 같이 있어주는 건
어때요?

그러고 싶은 맘이야
굴뚝같지~. 에휴!

금쪽같은 내 새끼….
밥은 잘 먹고 있는지….

이렇게 여유 잡고
관광을 나오니
실감나네!

모든 공연이
정말 끝났구나~!!!

ADF 입상 특전
유럽 공연을 기대하며
연습하던 여름이
엊그제 같은데!

연우 언니
3인무 공연은 정말 대단했지!
두 남자 손을 거부하고
점프할 줄이야!

덕분에
두 분의 대결은
아직 무승부인 거죠?
번외 경기 언제 할 거예요?

구름떼 관객 모아서 배당 크게 나눠줄 테니 둘이서 은밀히 하지 말고 꼭 알려줘요.

와우~! 그럴까? 용돈도 벌고 어때, 해준?

언제든 콜~!

피트, 솔직히 말해봐요.

연우 언니 춤을 높이 사는 거, 사심이 전혀 없다고 할 수 없죠?

당신의 춤은 내가 있는 무용센터 초급 클래스에서도 질리도록 봅니다.

사실 내 춤보다 한 수 아래라는 거 당신도 느끼죠?

동양인의 체격 조건이나 열악한 환경 운운하며 그들만큼 카피해낸 것을 칭찬해달라는 건가요? 여자 해준 같아요~.

지수 씨도 결혼식 피로연 후,
아무렇지 않게
4차까지 신나게 놀았다며?

그러게.
완전히 털어내
다행이다 생각했는데.
윤 선배 신혼여행 떠나는 날,
둘이 동거하던
원룸 욕실에서….

미쳤어!!
죽을 만큼 좋아했으면 왜 보낸 거래?
호르몬 따라 약발 떨어지는
사랑 따위에 왜 목숨을 걸어?
딴 이유 있었던 거 아니야?

모르지 뭐~,
그냥 윤 선배
동거녀로만 알고 있었지,
과도 다르고 데면데면 지내서
잘 모르잖아.

…윤 선배는 괜찮대?

제정신이겠어요? 발인하고 사라진 후 연락두절이래요. 완전 패닉상태겠지, 뭐~.

정말 이해 안 된다. 치정극도 아니고 이게 뭐냐?

해준 오빠 알면 진짜 놀라겠다. 티격대면서도 친한 사이잖아요. 어떤 면에선 동류이고….

…….

기분 나쁠지 모르지만, 지수 선배 소식 전해 듣고 이상하게 난 언니가 떠올랐어요.

큰아버지와 다른 삶을 주고 싶으시면 승표를 벼랑 아래로 던져버리세요.

기특하게도 녀석은 추락과 착지, 어느 쪽이든 스스로 극복해내고 싶어 합니다.

약속드리지요,

제대로 싸울 준비를 마칠 때까지 기다려줄 것을.

저 역시 다른 주먹에 녀석이 맞는 건 싫습니다.

대신, 제게 지우려는 의무만큼 권한을 주셔야 합니다.

그 전에, 주인의 목을 물어뜯지 못하게 입마개부터 씌워야겠지.

아침 일찍 박 변을 부르거라. 네놈의 목줄부터 조일 것이다.

도둑들이 물어뜯지 못하는 개를 무서워하겠습니까?

처음으로
그녀의 바닥을 본다.
자신 없고 두려운 마음.

승표를 주저앉히면…
후한 상을 내리겠다.

겁이 나서 휘두른 난도질에
소중한 이들이 피를 흘린 공포.

악몽을 덧씌우다 변질된 욕심.

직접
견뎌내셔야 할
몫입니다.

축복보다
원망을 듣고 태어나도록
3대에 걸쳐 저주를 내린 장본인이
아무런 대가를 치르지 않는 건
불공평하잖아요.

할머님 걱정은 마세요.
그냥 섭섭하신 맘을
아버지께 넋두리
하시는 거예요.

알고 있다.
그런데…
솔직히 이번만큼은
할머니 편을
들고 싶구나.

좀 더 가까이 있으면
안 되겠니?
제주도라든가…?

자주
전화 드릴게요.

같이 있을 때보다
더 많은 대화를 요청해서
지겨우실지도 몰라요.
하하….

겁쟁이라서 죄송해요.
실패한 곳에서
만회하지 못해 죄송해요,
아버지……
기댈 수 있을 만큼
강해져서 돌아올게요.

고백할 게 있다.

현빈이
여름 별장 초대,
마지막 인사 하라고
보낸 거야.

네 유학 일정을
너보다 먼저 알려주었다.
너 떠날 때까지
절대 연락하지 말라고.

오지랖 대마왕!

덕분에 할 일이
생겨버렸잖아.

화나면 제대로
펀치 길러서 돌아와 복수해.
기다리고 있을게.

아미 코디가 떠난
진짜 이유.

백만 여우보다
한 마리 호랑이를
그리워하는 나를 위해
오늘은 꼭 설명해줘.

느닷없이
유럽 어쩌고 극단
의상감독 러브콜 받고
날아갔다는 게
말이 돼?

하윤까지
팽개치고?
이게 납득이
되겠냐고!

여보세요?
아, 현빈아,
아까 팩스 봤는데
두 번째 시안이
맘에 들어.

빠직!

무시
일관이라…

그래서 말인데,
승표 군이 또 한번
카피라이터 맡아주면
좋겠는데!

여름호에 이어
겨울신화 써보자고!
승표 연락 좀 해줘.

아…, 그게, 어려울 것 같아요.

아줌마, 지금 일부러 그러는 거지? 진짜 통화 중이야? 어이, 신현빈! 소리 질러봐!

근데 이노무 스키가!!! 너 이리 와! 앙아치!!!

왜? 승표 무슨 일 있어?

현빈아, 금방 다시 걸게.

음……, 그게….

네….

이제 정말 얼마 안 남았구나, 떠나는 날….

보고 싶다, 승표….

빠
지
리
지지...

네, 선배님.

···미안.
기다리는 전화
있었구나?

···좀 이따
다시 할까?

아니···.

끊지 마!
승표야······.

BLUE

BLUE

색의 공감지대에서 만나는
로맨틱 라이프 게임

그녀의
울음 삼키는
소리를 듣는다.

내 낮은 한숨을
그녀가 듣는다.

하고 싶은 말들이
밀물처럼
머릿속에 몰아치지만
막상 입을 열면
파도처럼 부서진다.

아무 말도 하지 않은 채
수화기를 들고 있다.
서로의 마음이 들린다.

⋯⋯.

안 봐도 보이는
네 눈물⋯.

그녀가 원하는 것은
울어도 부끄럽지 않은
자유⋯.

생각해보면,
하윤 때문에 울어본 적은 없다.
그의 외면에 대한 내 감정은
슬픔보다는 분노와
자학에 더 가깝다.

울지 마,
눈 붓는다.

응….

그때 흘려야 할 눈물이
너의 목소리에 반응한다.
내 눈물은 거의 너와 함께 있었다.
왜 난 너를 떠올리면
눈물이 나는 걸까?

알았어요! 미안해요!

원래 악의 없이 이런 말투인 거 잘 아시면서….

낯서니까 목소리 높이지 말아요.

민감하게 받으니 오히려 당황스럽네요.

서경…

뭐에 꽂혀서 저래? 한동안 잠잠하더니, 왜 또 해준 오빠 마누라 행세야?

잊을 만하면 상기시켜…. 재수 없어!

그녀의 말이 비수처럼 꽂힌 건
내 비밀일기장 문장이
고스란히 읽혔기 때문이다.

내 어린 청춘의 사랑은
죽음도 두렵지 않은
줄리엣의 사랑이었다.

언제라도 마실 수 있게
마음의 독약을 품고 다니며

그가
뚜껑을 열어주기를
소망했다.

…정말이네요!

남자들끼리만
놀다 와서 미안해요~,
너무 거친 곳이라
어쩔 수 없었어요.

해준도
무탈하게 돌아왔고,
라서경 씨도
잘 포획했어요.

역시…,
걱정하고 있을 줄 알았어요.
잘못한 사람은 멀쩡한데
혼낸 사람이
속상해 죽어가네~.

아…!
네.

라서경 씨는
해준이 고문하며
기분 잘 풀려 돌아갈 테니,
걱정 말아요.

음…,
혼자 우울해하지 말고
나랑 첫눈 데이트해요.
호텔 아래
커피숍으로 내려와요.

어떤 식으로
사과했는지 뻔한데,
그건 사과가 아니지.
서로 잠 설치지 말고
제대로 해.

싫어!
연우 언니 불편해!

오늘
오빠 방에서
잘 거야!

그래, 그럼.

정말?!

내가
연우 방으로
가지 뭐.

!!

해준 오빠!

입 다물어.

겁대가리 상실할 만큼 착각하게 처신한 내 등신짓과,

네가 씹어 처먹은 예의를 퉁 치는 걸로 끝내자고!

말이 왜 그리 거칠어?!!

쪽팔려 더 거칠어질지 모르니 그만하자.

위로 받아야 할 사람은 따로 있는데. 이 멋진 야경을 함께 걸어야 할 사람은 따로 있는데….

내가 미친놈이다….

서울 야경 데이트
기억 나요?

어느 쪽의 해준을
원하는지 물었을 때
당신은 춤으로 답하겠다 말했고,
커플 대신 솔로로
엔딩 무대를 장식했죠.

두 손을 동시에 잡는 것까진
생각했는데,
그 누구도 잡지 않을 거라곤
상상 못했어요!

확실히
큰 충격이었어요!
해준은 아니라고
펄쩍 뛰지만,

자기 손 잡아주지 않았다고
그 여름부터 이 겨울까지
삐쳐서 퉁퉁 부어 있으니~.
하하하.

근데
솔직히 잘 모르겠어요.
그날의 춤엔 분명히
어느 쪽의 해준을
원하는지 보였는데,
지금 당신에게선 안 읽혀요.

가까스로
그의 춤을 벗어나는 중이고,
아직은 촛불에 흔들리는 바람처럼
마음이 일렁이는 것도 사실이지만,

해준만의 탓은
아니니
그를 몰아붙이지
말아주세요.

아⋯, 이렇게
또 청하네요.

그 경계를
가르기 위해
당신의 도움을
계속 청하기만 하니,

늘 미안하고 고마워요,
피트.

정말 오래되었지. 내 앞에서 웃는 채연우….

망할…. **피트!**

서경이, 꼼짝 않고 굳어 있음. 눈물이 고드름 되기 전에 구해줘요.

우는 여자 달래기 선수! 출동 요망!

이런~, 나쁜 남자~!

승표 말고 널 웃게 하는 사람은 생각 못했는데….

위로가 아니라 피로를 주고 왔군!

등떠밀기!

고마워요~, 슈퍼맨!

그동안 난 당신의 조언대로 좋은 추억 만들고 있을게.

100번째 엽서….

마지막 주문이 어떤 내용일지 궁금했지만,
100번이나 주문한 네 소원의 무게가 두려웠어.

받지 않을 자신도 없었지.
사랑받는다는 건 너무 달콤하니까.

네게 책임을 전가하며
너의 숙제가 제출되지 않기를
그대로 잊혀진 소원이 되기를 바라면서도
100번째 엽서를 완성했다는
너의 말에 또 가슴이 설렜다.

억지로 끝난 마음이 다시 일어서지만
소중한 네 마음에 보답하는 건
너를 잘 떠나보내는 거라고 타이르며
이제 내가 소원을 시작한다.

수고 많았다!!!
대단하다! 정말!
구세주 신현빈!!!

마감 당겼는데도
이렇게 해내주다니!!!
더 손볼 곳도 없어!

필름 바로 출력해서
새벽 인쇄 들어갈 수
있겠어!

선주문부터
폭주!

사랑의 주문
BLUE 100선 엽서
대박 예감!!!

프러포즈 엽서로
좋을 것 같아.
나도 사랑의 주문
써볼까나?

전 시작했어요.
프린터로 출력한
수작업 엽서로.

호오~~,
홍승표 군에게?

네.

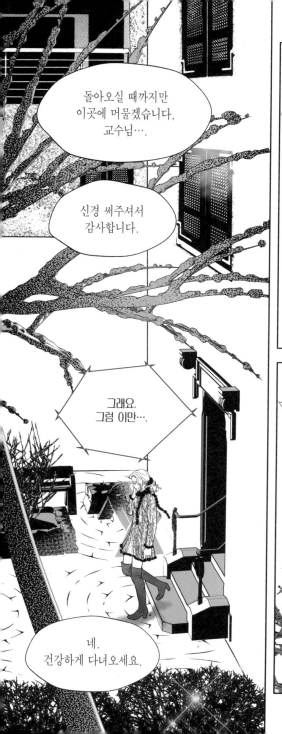

돌아오실 때까지만
이곳에 머물겠습니다,
교수님….

신경 써주셔서
감사합니다.

그래요.
그럼 이만….

네.
건강하게 다녀오세요.

뭐지?

앙크?!

끊어진 줄을
조일 때 냈던
상처….

하윤의 앙크야!

그곳에 서서
많이 울었겠다,
당신…….

강제로 끊어낸다고
버려지는 게 아니니….

미카….
네가 그들의
동아줄이 되어줘.

연습 끝났다며?
노는 시간에
심부름 좀 해라.

당구 치며
놀고 있잖아.

CCTV 달아놨어요?
노는 게 아니고
쉬는 거야.

쉬는 방법이야 개취지,
술떡 힐링하는 송 편이
할 말이 아니신데….

자, 내 용건은요!
신현빈을 울 사무실로
데려와주라!

마감에 지친
아가씨 혼자
새벽 택시 타게
할 수 없어서 그래.

얼~,
이젠 운짱으로 부리시나?
날 사랑한다면서
너무 막 대하는 거
아니야?

여보세요?

내려와.

…아…!

아파트 후문 쪽 주차장이야.

어쩌다 기사 노릇까지.

늦은 밤이라지만 동네 사람 오가는데 스캔들 나면….

그럼 따로 가? 네가 탄 택시 뒤를 따라가야 하는 거야?

지금 내려갈게요.

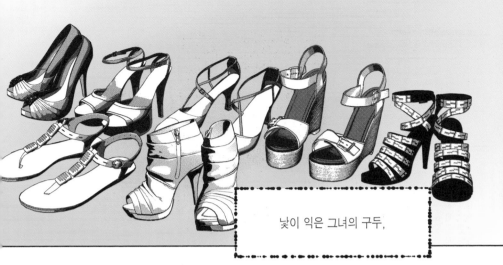

낮이 익은 그녀의 구두,

가지런한 옷가지,
잘 정돈된 드레스 룸.

고스란히 남겨진
그녀의 흔적.

일 끝나면
데려다 줄게.

최종 원고
인쇄소 넘기면
지하철 다니는 시간 되니
괜찮아요.

또 이런 상황은
없겠지만
거절하세요,
다음엔.

멤버들과 집에서
크리스마스 파티를
할 거야.

참석한다면
데리러 올게.

전화해.

지난 여름,
너의 친구들을 질투하며
한없이 작아지던 중에도
날 설레게 한
아흔아홉 번째 엽서….

사. 랑. 해.
그에 대한 답부터,

하윤의 얼굴이 들어간
엽서 100장에
너에 대한 나의 주문을
시작한다.

홍승표!!!
이게 얼마 만인가,
친구!!!

승표야~!!!!

이리 와!
꼭 안아보자!

울 예쁜 연우!
더 이뻐졌잖아~.

승진 형님,
완전 너의 흑기사 되셨구나?
우리 짐까지 다 찾아서
택배 해주신다니.
물론 비서 아저씨가
대신 하시지만.

오늘밤에 시간이 없어.
떠나기 전
인사 일정이 꽉 차서.

짐 풀고
저녁에 너희 집으로
갈 생각이었는데.

뭐가 급해서
공항까지
달려온 거야?

우리들
마지막 여행은
해야 하잖아.

BLUE

색의 공감지대에서 만나는
로맨틱 라이프 게임

있지, 누이.
나 오늘 프러포즈
예고했다.

은경이한테?

응.
어떤 대답이 돌아올지
무지 떨려.
담담한 척했는데.

축하해, 준모야!!
드디어 찾았네!!!
True Love!!!!

조금 질투난다.

응.
배 아파해줘.
많이 슬퍼할수록
큰 선물이 될 테니까.

헤어지기 위한
이별 여행….

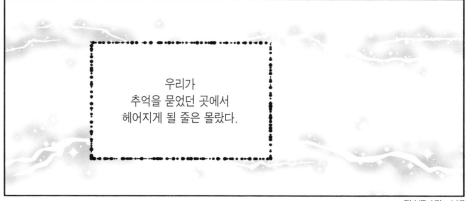

우리가
추억을 묻었던 곳에서
헤어지게 될 줄은 몰랐다.

내 유년의 일기장을
행복으로 채워준 친구들.

언젠가 헤어지겠지 생각은 하지만…,
같은 공간을 지내는 동안엔
이별의 거리를 가늠할 수 없지.

멀어지는 시간을
현실적으로 생각 못하는 거야.

솔직히 말해,
우리가 떨어져 지낸다는 건
상상해본 적이 없다.

어쩌지…
지금 우리랑 닮아서
울컥하네.

나이 탓이야~!
철없던 시절에야
뭔들 안 즐거웠나?

난 우리 셋이
영원히 같이 살 줄
알았어.

나두.

난,
우리 셋이
결혼할 줄
알았어.

소꿉놀이 결혼 때도
늘 셋이 입장했잖아.

아이들이 놀려대면
더 신나서
해준이가 늘
끼어들었지.

오늘 밤 여기서
캠프파이어 할까?
텐트 빌려서 같이 자자.
마지막으로.

우리 연우
얼음공주
만들고 싶지 않아.

일단
따뜻한 커피라도
마시러 가자.

모닥불 피우면 돼.
진실게임 해야지.
꾹꾹 눌러 담았던
속마음 털자고.

오해는 풀고
헤어져야지.
마지막 기억이
행복하면 좋잖아.

승진 형이
방을 예약해놨거든.
호텔이 가까우니
걸어가면 돼.

가는 길에
블루 버거도
들르고.

그럼 오늘 하룻밤
자고 오는 거야?

난 새벽에
먼저 올라가야 해.
아침에 어르신들 뵈러
가야 하거든.

스케줄
빡빡하네.

나한테까지
할당할 시간
전혀 없는 거?

무슨 일인데 그래?
준모 형이랑 싸움?

아니,
너 가기 전에 술 한잔 하려고
그러지.

이리 올래?

당연하지.
나중에 전화할게.

헤어지기 위해
만나는 일….

작별의 순서가 어떻게 되든
현빈을 마지막에 두었다.
지금 내 마음이
서 있는 곳이기 때문이다.

무슨 밀담이기에
밖에서 받나?

은경이
모르는 사이도
아니고.

마음을 닫고
떠나야 하니까.

뭐…,
다른 사람은 상관없는데,
연우는 못 참겠다.

진단 좀 해주라,
승표야.

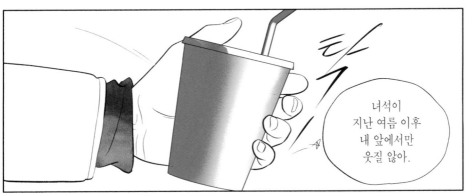

녀석이
지난 여름 이후
내 앞에서만
웃질 않아.

나 어떡해야 해?

웃지 못하는 채연우,
웃기지 못하는 이해준.
어느 쪽에
처방을 해야 하는 거야?

함께 있어야 잠이 들었던 우리가
함께 있으면 잠들 수 없게 되었다.

각자의 꿈을 꾸면서
우린 헤어지기 시작한 것이다.

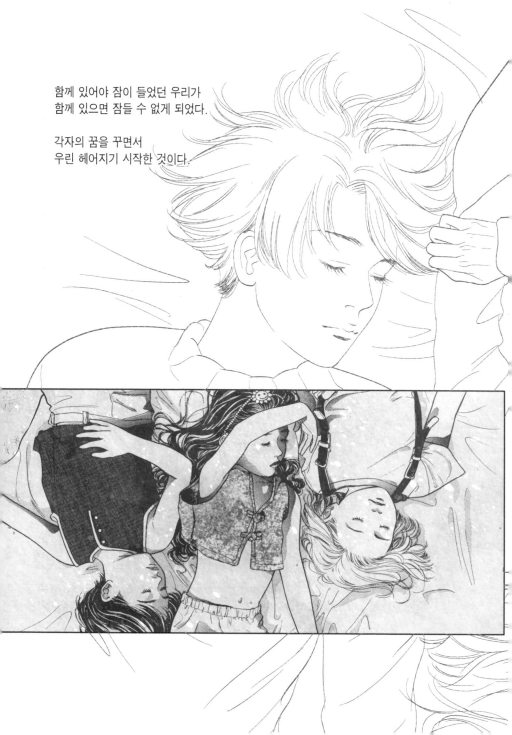

그리고
여름의 환각을 보았다.

우리의 시선은 나란히
한 곳을 향했다.

서로의 손을 잡고.

그래,
잘 끝내고 있어?

응.
무력한 홍승표 이름을
묻고 있어.
지켜야 할 약속이
사라졌으니까.

새로운 약속을
하면 되잖아.
지켜야 할 사람이
생길 때까지 내가
널 지키게 한다는 약속.

아무리 외로워도
프러포즈는
미래의 형수에게 해,
형.

할머니 시중은
내가 들 테니
서둘러 올 것 없어.
하루 더 놀다 와.

해준이에 대한 오늘의 사과는 내 몫이다.

난 그를 끊임없이 의심하고 괴롭혔다.
피해자의 얼굴로 위로를 당당히 요구하며
착한 그들의 마음을 비집고 들어가
고집을 부렸다.
시간이 어긋난 건 전부 내 탓이다.

내면의 관찰자가 보내는 비난과 칭찬은
양심이란 이름으로
마음의 무게를 저울질한다.

우리가 나중에 알게 될 것을
그때 깨달았더라면
두려움 없이 사랑했을 것이다.

사랑한다는 말은
사랑하는 그때에
해주어야 한다는 것을
알았더라면―.

사랑해
고마워

죄를 낱낱이 토론하고
용서의 표식을 남긴다.

우리의
가장 행복한 시간만
가져갈 것이다.

추억은 남고 감정은 사라지겠지만
가슴 대신 머리로 기억하며
난 너를 따뜻하게 바라볼 것이다.

그렇게 또 한 번의
시간의 바다를 건너—

이것은
또 하나의 꿈이 될 것이다.

눈 감아야 볼 수 있는
눈부신 햇살,
코를 간질이는 향기,
자장가처럼 들리는 숨소리―.

끝나버린 유년의 여름……

안녕,
내 어린 친구들.

안녕,
절망 끝에 만난 희망

블루……

아니,
일가친척이 얼마나 많으면,
인사하는 데 몇날 며칠이 걸려?

그러게.
태어나서 처음 보는
얼굴도 꽤 많았어.

뭐…,
그동안 집안 대소사엔
참여하지 않았고,
승진 형이
모든 역할을 했으니까.

역시 갓승진~!

뭐~, 암튼,
할머님이 조금이나마
너의 뒤늦은 도련님 놀이를
기뻐하셨겠네~!

그럼…,
이제 앞으로 쭉~
귀족 홍승표로
사는 거야?

이 느닷없는 유학도
명문왕실학교 따위에서
후계 수업 받기 위한 것?

할리퀸 문고를 너무 읽더라, 남은경~.

보류야, 보류! 비겁하고 일방적인 데다 무자비하잖아!

연애 시뮬레이션은 그만하고 너의 로맨스에 집중해. 준모 형 프러포즈에 뭐라 답할 거야?

옆에 있어줄 것도 아니면서 그 긴 시간 동안 연애도 못하게 프러포즈 구속이라니~.

제대한 후까지도 준모 형 마음 변함없고 내 맘 자란다면 또 모를까~, 서둘러 미련 곰신은 사양하겠어!

오케이~! 네 조건 모두 승인!

캑!

어서 와요, 준모 형!

대신 선결재
하나만 해줘.
예비 남친
인정한다는 도장!

꺄악~!!!
죽는다! 양준모~!!

계속해요~,
전화하고 올게.

승표야~,
날 버리지 마~,

내 로맨스를 코미디로
만들지 말아줘~~~!!
컴백!!!! 홍~!!!

안녕하세요!
교수님~!!!

잘 지냈나요?

네! 그렇잖아도
전화드릴 생각이었습니다.
조만간 찾아뵈려 했거든요.

잘됐군요.
지금 서울입니다.

아···! 드디어···,
그를 보러 오셨군요!

기세 좋게 왔는데
제대로 이어질지
모르겠어요.

콘서트 티켓 하나
제대로 구하기
힘드네요.

아무래도 제게
또 역할이 주어진 것 같네요,
교수님.

티켓보다 더 확실한
프리패스를
구해드릴 수 있습니다.

그와는
대화 한 번 없었지만,
그의 친한 스태프들을
잘 알아요.

승표 군과는
여러모로 참 묘한
인연이군요.

네….
그러니까 허무한 구실로
뒷걸음치지 마세요.

어머니….

매우 어렵지만
운명적인 인력으로
밀어낼 수 없는
부탁을 하러 왔어.

그들이
더 늦기 전에
사랑한단 말을
서로 전할 수 있게….

나 대신…
교수님을 그에게 안내해줘,
현빈아.

우리가 늘 해왔던 대로
각자 마음으로
치열하게 하는 진실게임.

무슨 짓을 하든
곁에 남아 있을 거라
생각한 이들,

언제나 그들을 놓고
떠나는 것은 나였는데
깨닫고 보니
남겨진 쪽에 서 있었다.

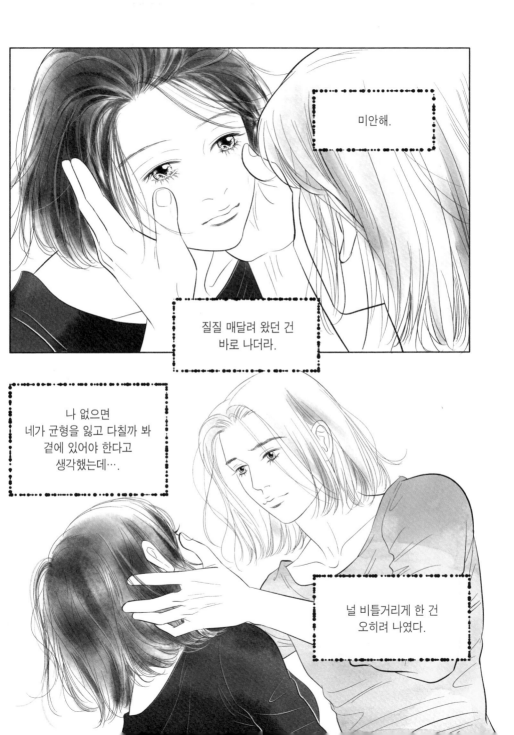

뜨겁지 않아서
사랑이 아니라고 생각했다.

아주 오랫동안
우린 서로 서로 첫사랑이었는데…….

망설임 없이 전진하는
너의 모습이
주춤거리는 발걸음을
재촉한다.

곧 따라잡을
테니까…,
기다려줘.

응.

Farewell my first love—.

BLUE

색의 공감지대에서 만나는
로맨틱 라이프 게임

BLUE

속전속결이라
좀 긴장하셨죠,
교수님?

본래 목적으로
정면승부하시고,
공연은 그가 준비한
VIP석에서 보세요.

염치없이 받은 도움을
뭐로 갚을지
고민해보겠습니다.

해피엔딩을
보여주시는 것으로
충분합니다.

yo~!

아!

어쨌든,
우리 첫 공연과
마지막 공연이
같은 장소라는 게
의미심장하지 않냐?

원점이지만,
각자 고향에서
너와 난
다른 평가를 받겠지.

난 금의환향,

넌
돌아온 탕자.

언제든
맘 변하면 말해.

대신,
이번엔 네가 와야
할 거야.

살짝 심쿵했다.
나쁜 새끼…….

절대
못 할 거라
믿고 던지는
떡밥이지?

쿡—.

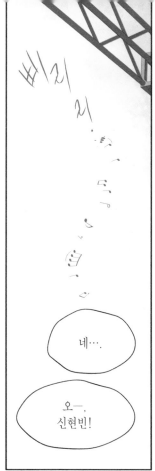

고통으로 폭주한 머리는
여섯 살의 너를 지우고
행복했던 시간의 아이를 세워
그날의 기억을 각색하였다.

그렇게…
이기적인 마음을 숨기려
자신까지 기만하면서
결국 너를 잃었지….

용서하란 말은 못해.
다만
평생의 빚을 갚을 수 있도록…

이제 내가 먼저
너를 향해 걷는다.

꿈속의 넌
언제나
아주 작은 아이야.

오래전 이미
내 어깨를 훌쩍 넘어
커버렸는데도….

지금의 얼굴은
한 번도 못 봤어.

현실의 기억조차
가장 많이 떠오르는 건
너의 돌아선 뒷모습….

녀석이
미련 없이 떠날 수 있게
결정타를 먹여주었네,
신현빈!

붙잡고
늘어져보기도 전에
게임 끝났다.

진짜 태양인
어머니가
오셨으니…,

어떻게 이겨?
그치?

퉁쳐줄게.
네 찬스도 물 건너갔잖아.
크리스마스 파티
기대했을 텐데.

근데 말이야……,

또 다른 찬스도
쫑난 거 아니야?

두 번째 엽서.

근데··· 승표야,
이제 와 다시 보니
너의 엽서는 모두
작별 엽서였어.

넌 엽서를 쓸 때마다
나와 헤어졌던 거야.
그 많은 장소 중에
어느 곳에 가야
널 만날 수 있는 거니?

아무리 생각해도
모르겠어.
우리가 처음 헤어진 곳.

세 번째 엽서.
나의 태양…,
그의 마지막 공연.

아미 선배의 말대로 온도 차이는 크지만
내가 그의 시선을 잠시라도 잡을 수 있었던 이유,
그가 나를 뚫고 바라보던 애증병존의 단상….
그의 결핍을 한 번에 채워줄 대상의 귀환으로
나의 실낱같은 무기는 무력화되었어.

막무가내
일방통행이
끝났다.

네 번째 엽서.
그가 웃었다.
그는 놓쳤던 어머니의 손을 되찾아
꼭 잡고
겨울 바다를 빠져나왔어.

관객을 도발하는
계산된 미소에선 볼 수 없는
행복한 얼굴…

오늘 밤
카리스마의 마법은
전설이 될 거야.

다섯 번째 엽서.
난 사랑을 했어.

사람에 열망하는
내 자신을 발견한 것으로
좋았어.

순수 연애 감정과는
다른 출발선이었지만
죽을 만큼 좋아할 수 있었던 걸
감사해.

절망의 터널을 지나면서
자학하는 일밖에 할 수 없었던 그때,
가슴 설렐 일이 생긴다는 건
상상도 못했지.

자신의 욕망을
들여다보는 일은
두려웠지만,
그건 나를
사랑하는
일이었으니까.

여섯 번째 엽서.

데자뷔‥‥‥.

네가 겨울에서 돌아온
그날에도
너를 위한 시간 중에
그를 만났지.

무대 위에 빛나는
왕자를 놓고 오라고ㅡ,
장소는
수수께끼를 풀어 알아내라고ㅡ.
백만 년에 한 번인
너의 심술다워.

홍승표!!!

의도한 건 아니지만
너와의 마지막 날이
그의 공연일과 또 겹쳤어.

처음부터
100번째 엽서를
줄 생각은 없었던 거지,
너‥‥‥?

일곱 번째 엽서.

마지막 인사는
눈을 보며 하고 싶어.

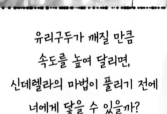

유리구두가 깨질 만큼
속도를 높여 달리면,
신데렐라의 마법이 풀리기 전에
너에게 닿을 수 있을까?

피로 물든 맨발이 되어서라도
아흔아홉 개의 장소 중
네가 있는 곳을 찾아낼 수 있다면···.

12시 넘었어.
달리던 마차가
무너진 호박이 되었으니
시간 내 도착하긴 글렀다.
신~데렐라~.

마지막 공연이라
메인 같은 앙코르가
새벽 2시가 넘어 끝난다더군.

응.

역시… 알고 있네.
일부러 피한 거냐?

전하지 못한 소원을
물 위에 띄운다.

그 효력을
확인할 순 없지만
이 또한 언젠가…,

유년의 바다처럼
시간의 강을 건너
너의 꿈에 닿기를….

너는 별….

이젠 잡을 수 없이
멀리 떠나버린 우주다.

BLUE island….
그 외로운 바다의
능란한 항해사가
되고 싶은 적도 있었지만—,
마지막 항해와 함께
심연 속에 잠이 들었다.

BLUE tears….

눈물이 얼어
눈으로 내리던 마지막 밤.
나의 Blue는 더 이상
나만의 것이 아니었다.

너는 얼어붙은 영혼….

천년의 잠을 깨워줄 기사.
종신형을 풀어줄 열쇠는 사랑―.

하지만
신뢰를 잃은 유년의 동화는
모두의 꿈을
허락하지 않았다.

아주 오래도록
시간이란 약에
의지해야 할 것이다.

그리움이 쌓인
깊은 세월의 계곡,
서리를 견뎌낸
씩씩한 꽃들이
피어날 때까지…….

여긴 벚꽃 만개야.

서울은 또 폭설이다.

벚꽃 피기도 전에
지겠어.

4월의 폭설은
이제 별일도 아니지.
5월에 눈 내리는 곳도
있는데, 뭐.

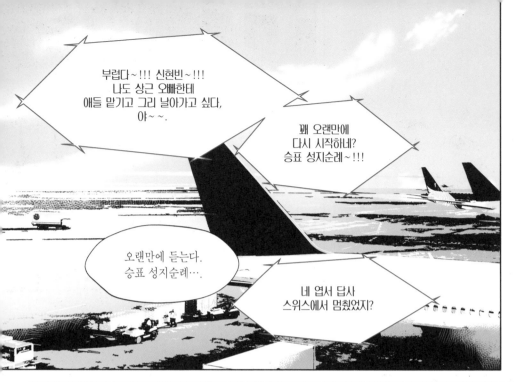

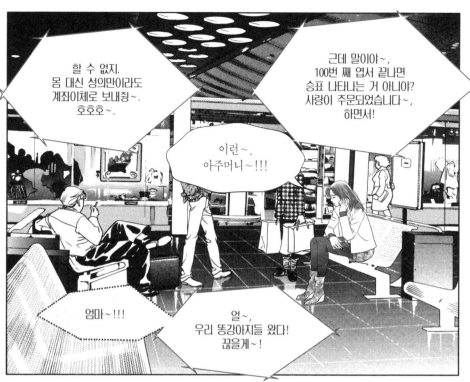

멈춰버린 소원이니까.

더구나
승표는 이미 그곳에 있다.

휴가 때마다 틈틈이 떠난 여행이
승표의 엽서 시리즈를 따라 걷는다 해서
신영이 붙인 이름,
'승표 성지순례'답게 모든 여행지에서 그를 만났다.

너와의 시간이 멈춘
그날의 모습으로 함께한
특별한 여행….

유럽 시리즈 엽서가 시작된,

템즈 강을 항해하는 배 안에서부터,

그 는 내 곁 에 있 었 다.

서른 번째 엽서.
사랑의 주문 대신
힐링 주문으로
일기처럼 쓰게 된 엽서 답사.

네가 있던 모든 풍경 속에서
너와 함께하며 위로를 받았다.

그때,
그 고독한 길을 혼자 걸어야 했던
네 곁에 내가 함께였다면···,

지금처럼 따로 또 같이
너의 환영을 그리며
서 있게 될 일은 없었을까?

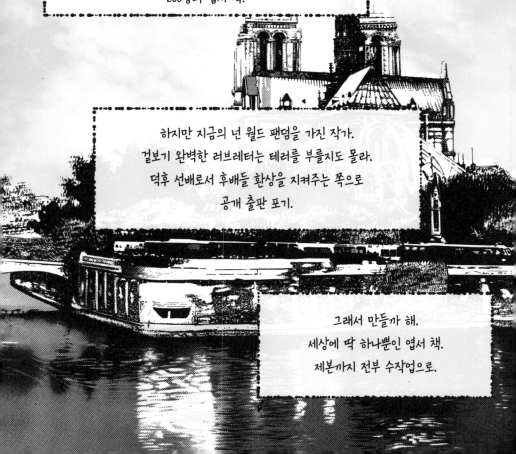

여든 번째 엽서.

기억나니? 너의 편지 혼자 읽기 아까워
책으로 묶어내도 되냐 물었을 때 너의 대답.
'해피엔딩을 조건으로 한다면'.
그래서 준비 중이야.
99장의 엽서를 마치면 작은 책을 내야겠다고.
너와 나의 엽서를 좌우로,
마지막 장은 각각 내용이 비워진 100번째 엽서로 편집된
200장의 엽서 책.

하지만 지금의 넌 월드 팬덤을 가진 작가.
겉보기 완벽한 러브레터는 테러를 부를지도 몰라.
덕후 선배로서 후배들 환상을 지켜주는 쪽으로
공개 출판 포기.

그래서 만들까 해.
세상에 딱 하나뿐인 엽서 책.
제본까지 전부 수작업으로.

하윤의 얼굴이 담긴
엽서로 시작되었지만,
네가 떠난 후 시작한 일기 엽서는
직접 찍은 풍경사진들로 바뀌었다.

눈물 콧물 흘리던 마지막 야경도
느긋하게 카메라에 담게 될 만큼
시간의 약에 치유되고 보니…
그립다, 그 시간이.

아흔여덟 번째 엽서.

어느새 100번째 엽서를
두 장 앞두고 있어.
너와 함께한
10년의 답사여행이
끝나가고 있다….

제목만 걸어둔 100번째 엽서는
널 만나는 날 완성될 거야.
100번째 엽서가 궁금하면…
얼굴 보여줘.
장소는, 우리 처음 만난 곳….
시간은, 언젠가……?

드디어 아흔아홉 번째 엽서.

보. 고. 싶. 다.

내가
보고 싶은 너는
지금의 너일까?
그때의 너일까?

만나자면서
시간을 정하지 못한 건
나와 달리 넌
한 번에 찾아낼 것
같아서야.

그리고 무엇보다,
지금 네게 소중한 사람이
있을까 봐….

승표야…….

만나면 미안하고,

못 만나면 서러운 이 망상이 깨질까 봐

우리가 끝났던 모습으로 네게 묻는다.

여~! 신현빈!

안 온다더니~, 시간 딱 맞춰 왔네~! 이쁜 것!

믿고 왔어요.

에헤이~, 아니라니까! 근사한 저녁 사준다니까!

더 수상해요~. 왜 뜬금없이?

어젯밤 귀국해서 여독도 짐도 아직 못 풀었는데,

이틀 남은 금쪽같은 휴가 동안 일 시키면 사표 쓸 거야! 진짜예요!

촬영 끝났겠다! 야~! 빨리빨리~.

사인지 안 챙겼는데~, 팔목에 받고 문신 뜰까 봐!

그럼 나는 목, 혹은 가슴…?! 꺄하하하앙~!!!

이런 미친! 아하하하!!

시끌시끌하네요.
오늘은 또 누군데
각 부서 여자들이
죄다 모인 거야?

응!
댄서 이해준~!
새로 창간하는
남성지 표지
촬영 중이여!

요즘 월드댄싱9
동영상 난리잖아!
피핑톰 한국인 무용수!
국내 팬들에게도 급속히
알려지기 시작했어!

타이밍
잘 잡은 거지~!
창간호 표지!

네에……

자기랑 매우
오래된 사이라며?

선배 호출…,
설마 저놈의 제비…!!

맞네~!!!
놈놈 욕하는 막역한 사이!

화제의
안무 동영상 봤어.
사적 편견을 깰 만큼 멋졌어.
왜 호평일색 갓 댄서인지,
팬들을 사로잡은 이유 알겠더라.

당황스럽게….
벌 받을 각오했는데
상을 주네.

미운 놈 떡 하나 더 주기인가?
가장 잊을 수 없는 원수,
수많은 악몽의 주연이었을 테니.

남의 꿈 편집하지 마.
네 얼굴 보기 전까지
기억도 안 났다.

그건 또
살짝 서운하네.
난 가끔
네 생각났는데….

아직 백업 주소록에
신현빈 이름 있거든.
승표 다음 줄에….

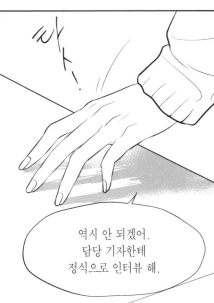

역시 안 되겠어.
담당 기자한테
정식으로 인터뷰 해.

이런저런 핑계로
승표와의 약속을 못 지키고
가시처럼 박혔던 죄책감만큼
진심으로 미안해.

좀 더 일찍
사과하지 못하고
말도 안 되게 늦어서
정말 미안해.

이제 와
우리가 주고받을
사과 따윈 없어.

그래도….

승표가
곧 돌아오는데
그전에 숙제를
마치고 싶었어.

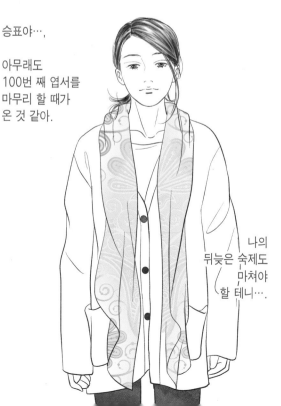

승표야…,

아무래도
100번 째 엽서를
마무리 할 때가
온 것 같아.

나의
뒤늦은 숙제도
마쳐야
할 테니….

홍승표,
넌 왜 이곳이 좋아?
시끄럽고 위험한 녀석들
베이비시터까지 맡아가며.

여행 중에 처음
집처럼 맘 편히
잠들었던 곳이야.

지금은
말괄량이 아가씨가 되었지만
그 따뜻함의 중심에
다섯 살 줄리가 있었지.

그때 묶어준
빨간 토슈즈가 여기까지
이어질 줄 몰랐지만.

빨간 토슈즈….
가위 들고 포장하던
중딩 홍승표 생각나네.

인생 참 재미있어.
번민의 씨앗이
위로를 낳았으니….

결과론적이지만
네 첫사랑이 성공했다면
이런 결말도 없었겠지.

타임슬립 한다 해도
함부로 바꾸지 못할 거야.
내가 잃어서 누군가 얻을
다른 소중한 것들이
사라질지도 모르니.

몇 번을
반복해도 똑같아.
그때의 난
어쩔 수 없을 테지.

지금은?

뭐가
알고 싶어 그래?

너희는 왜 연락 안 해?
다른 친구들은
전부 잘 지내면서.

신현빈.

왜
그 친구만
단절이야?

보고 싶은 내 친구 승표야…,

여긴 피트의 할머님이 계신 스위스 시골 마을이야.
어릴 적 동경했던 동화 속 알프스 소녀 하이디처럼
갓 구워낸 흰 빵과 막 짜낸 신선한 우유를 마시며
그의 식구들과의 소풍을 했어.
피트가 좋아하는 광합성 놀이도 따라했는데,
(그는 볼수록 어린애 같은 구석이 많아^^;)
온몸이 태양에너지로 충전되어
어둡고 축축한 마음의 습기까지 날아가는 느낌이었어.

너도 기분 좋은 햇빛이 쏟아지는 날엔
양팔을 들고 가슴을 열어봐.
태양 빛이 남은 눈물을 모조리 뽀송뽀송하게 닦아내고
그 눈부신 햇살로 빚은 황금빛 행복을 가득 채워줄 거야.

내가 해줄 수 있는 건
늘 마음뿐인 영양가 없는 말이지만,
작품에 몰두하느라 커피만 마시지 말고
제대로 된 식사를 하도록 해! 꼭~!!!

해준

신현빈 010-2××6-×3×4

철없던 바리케이트 깨끗이
치웠으니 직진 가능~!!!!

두 분! 이젠 도망치는 구실에
날 팔아먹을 일은 없겠지?

소꿉친구 아들내미 돌보는
내공인데 두려울 게 있나?

전화 한 방이면 되는데,
왜 안 해? 뭔 고집이여?

이번엔 현빈이 엽서
몽땅 수장되는 거냐?

왜 계속 씹어? 어이~!!!

신났네…,
이해준.

첫사랑의 시시콜콜한 연애과정까지
지켜볼 만큼 편하게 아는
모든 이들과 연락하며 사는 동안
모든 연결에서 홀로 단절되었던 사람….

일부러 그런 건 아니었다.
자연스레 기다리다 잊었고
그렇게 잊으며 지나갔을 뿐.
너 역시 그렇게 잊었을 거라
생각했는데….

100번째 엽서
제목만 걸어둔 100번째 엽서는
널 만나는 날 완성하려 했는데…
오늘로 주문을 마친다.

내 100번째 엽서만큼은
네 100번째를 놓친 대가로
나만의 소원을 담은
완전한 주문이 될 테니
효력이 있을 거라 믿어!

'너의 소원이 이루어지기를…'

주문 완료.

P.S.
나머지 99장의
엽서를 원하면
너의 100번째 엽서를
가져와.

교환기간 :
그날 딱 하루.
장소, 시간 :
우리 처음 만난 날.

중의적인 장소를
시작한 건 너니까.
열받지 말고
기억을 잘 더듬어봐.

뭐가….
정답을 써놓고,
바보야….

강물에 띄워 보낸 100번째 엽서가
너를 통해 돌아왔다.
내가 썼던 100번째 문장과
똑같은 주문.

'너의 소원이 이루어지기를…'

마지막 추억을
편의대로 조작한
그날의 진실.

도망친 건 나였다.

네가 와주길 바라면서도
네가 오지 않기를
더 간절히 기도했으니까.

네가 오면 난
질 수밖에 없는 싸움을
하게 될·테니까.

그런데도 넌…

내가 도망친 곳에서
내가 버리고 온 것들을
소중하게 보듬고 있었다.

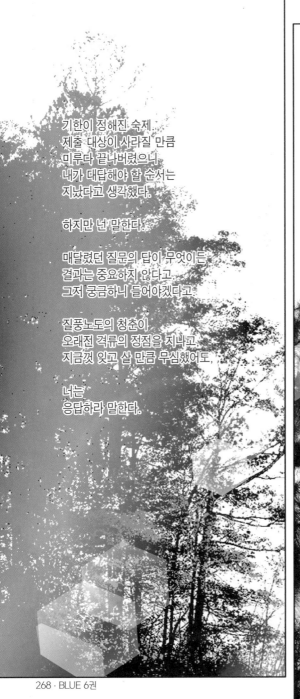

기한이 정해진 숙제.
제출 대상이 사라질 만큼
미루다 끝나버렸으니
내가 대답해야 할 순서는
지났다고 생각했다.

하지만 넌 말한다.

매달렸던 질문의 답이 무엇이든
결과는 중요하지 않다고.
그저 궁금하니 들어야겠다고.

질풍노도의 청춘이
오래전 격류의 정점을 지나고.
지금껏 잊고 살 만큼 무심했어도

너는
응답하라 말한다.

그날의 그곳으로

지난 숙제를
제출하라고.

또 오셨네요~!!!

여긴 언제 와도
한적하네요.

아시는 분들만
찾아오시니….

없어지지 않기를 바라요.
카페 손님이 너무 없어
걱정이긴 하지만,
추억의 장소로
계속 남아 있음 좋겠어요.

그래도 오늘은
일찌감치 멋진 남자 손님이
다녀가셨답니다.

역시나 현빈 씨처럼
이곳 주인과
아는 사이였지만요.
하하하—.

봐……,
나와 달리 넌 한 번에
찾아낼 거라 했잖아.

난……,
패널티 없이
너와 동점이 될 수
없다고…….

잊었던 감정들이 밀려온다.

10년 내내 널 기다린 것도 아닌데,
내가 지나온 다른 사랑이
전부 거짓도 아닌데,

마치 모든 것이…

지금 이 자리로
오기 위한
과정이었던 것처럼,

그 마지막에
서 있는 네가
당연하게 느껴져.

우리의 마음이
처음으로 만났던 곳.

그리고
시작하는 곳.

99개의 장소를 지나
이제야 찾아낸,

지금

바로 여기.

주문의 마법이
시작된다.

너의 소원이

이루어지기를….

「BLUE」 마침

에필로그

눈을 떠 현재를 바라본다.

내 앞의 모든 것들을
정면으로 상대할 것이다.

절망 끝에 희망.

긴 터널 끝의 빛.

사랑의 이름으로 불꽃이 되어준 사람.

온 마음으로 사랑할 것이다.

너를.

세피아로 빛바랜
그녀의 모노톤 사진.

컬러보다 화려한
감성 스펙트럼이
가슴을 투과하며
속삭인다.

사 무 치 게 그 리 웠 어

와…,
이 보물을
대체 어디서
발굴한 거야?

그때 네 어머니 결혼 성공했더라면 큰어머니로 불리며 적자를 낳을 수 있었을 텐데.

뭐, 큰아버지 애정보다 명재복 여사 모정이 더 갑이었다는 거지.

암튼, 대단하신 명재복 여사의 아들 사랑은 꺾일 줄 모르셔. 새로운 신붓감을 또 찾아내셨다.

이번엔 많이 젊다. 신흥 재벌가의 사십 대 둘째 따님.

울 할머니 정말 능력자셔.

유년시절
빛과 그림자처럼 지낸
유일한 피붙이 사촌
승진 형.

누나 같은
엄마 생기겠다,
홍승표.

서자의 아들로
설움 받은 그가
서자의 아들을 섬기도록
강요받아 쌓인
애증의 골은 깊다.

그의 말이 거칠어
때때로 아프긴 해도
세상 그 누구보다
날 걱정하는 사람이란 것엔
의심이 없다.

그러게.
전혀 재혼 생각이 없으셔서
문제지만.

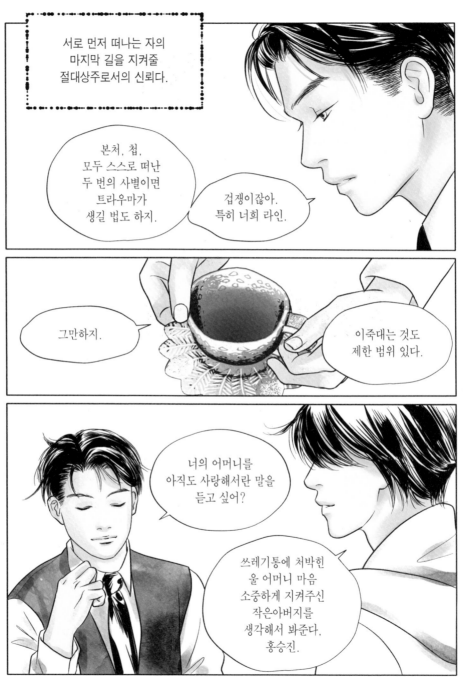

말해봐.
솔직히 큰아버지 재혼을
원치 않지?

강력한 재혼 후보 등장에 맞춰
나타난 어머니 사진을
외로운 신부의 항변으로
받아들이면서.

큰아버지
재혼을 바란다면
명재복 여사가 아니라
네가 나서야 해.

죄의식의 족쇄를
풀지 않는 한
큰아버지는 네 어머니 망령
떠나보내시지 못한다.

난 아버지의 재혼
반대한 적 없어.

늘 그래왔던
형의 이죽거림이라
생각했다.

며칠 후,
할머니의 소원대로
아버지가 맞선을
받아들였다는
소식을 듣기 전까진.

큰아버지 의중을
듣지 못해
확신할 순 없지만,
어쩌면 재혼까지
성사될 분위기.

너…,
진심이야?

그럼
도와드려야지.
아버지
결혼 시켜드리자,
형.

그동안
선조차 거부하시던
아버지였기에
적잖이 충격이었다.
무엇보다
내가 충격을
받았다는 것이
충격이었다.

스스로도
의식하지 못한 채
아버지의 재혼을
반대하고 있었는지도
모른다.

응.
그래서 형님아,
몇 가지 부탁이
있어.

그동안
재혼설에 반응 않는 내게
아버지는 무언의 압력을
느끼셨을 수도 있다.
죽을 때까지
어머니를 그리워하며
속죄하라는 형벌로.

이 또한
감정의 갑질이 아닌가.
속죄할 사람은 나다.

사진 촬영만 하고
인터뷰는 서면으로
하기로 했습니다,
큰아버지.

근데 승진아,
오늘 의상이
왜 흰색이야?

난 보속으로
아버지의 결혼선물을
준비하기로 하였다.

승표에게
메일이 왔습니다,
큰아버지.

아버지,
결혼 축하드려요.
특별한 선물을
준비했습니다.
맘에 드시면
신부를 꼬옥 안아주세요.
사랑합니다, 아버지.

이게
무슨 소리냐?

승진이 너까지
할머님 성화에
편승한 게야?

승표 선물을
보시면 압니다.

미래의 추억을
과거에 담았다.

그토록 원하던,
결혼서약을 기다리던 신부에게
30년을 넘어 도착한 신랑은
아무 말도 하지 못했다.

그날로 타임 슬립한 아버지는
스무 살의 꽃보다 아름다운
신부를 맞이하였다.

죽음이 갈라놓아도 영원한 결혼의 해피엔딩.

다른 공간에서 홀로
예복을 입어야 했던 그들은
마침내 시간의 강을 건너
한자리에 서게 되었다.

큰아버지,
액자 앞에서
완전 굳어버리셨다.

다행이다,
맘에 드셔서.

묻자,
어머니까지 소환해
협박하는 게
재혼에 도움이 돼?

돼.
미생을
완성시켜드렸으니까.
가상이라도.

끊어.
탈진하시기 전에
녹차라도
내드려야겠다.

결혼 축하드려요,
어머니!

신랑이 너무 많이 늦었죠?
좀 더 일찍
보내드리지 못해 죄송해요.

신부를 기다리게 한 만큼 서 계실 모양이니
조금만 벌주시고 그만 쉬어~라고 해주세요.
검은 머리 파 뿌리 되어 달려온 신랑이니
젊은 어머니가 용서하세요.

그렇게 사진 속 신랑을 데려가시고
텅 빈 곁을 채울
다음 신부를 축복해주세요.

너무 섭섭해 마세요.
제겐 어머니와 아버지 결혼만이
영원한 결혼이니까요.

사랑해요, 어머니.

팔찌…,

여전히 하고 있구나. 피트의 부적.

응. 우릴 지상에 묶어놓은 생명의 끈.

그가 처음 팔에 묶어준 이후 몸의 일부가 되었어.

끊어지지 않게 결혼기념일마다 새 팔찌를 엮어줘.

멋진 사랑꾼!

피트, 안젤로….

덕분에 우리가 꿈꾸던 정원에 함께할 꽃들이 늘어나기 시작했지.

그래서 피트와 난 헌빈 씨와 너의 꽃들도 하루빨리 피어나길 기도하고 있어.

우리 안젤로!
이번엔 장모님 껌딱지로
붙어 있어요.
하하하—.

그러니까
맘 편히
승표 씨와 밤새워
수다 떨어요.

응,
사랑해요,
바이~.

어이, 피트!
이 신뢰도 차이
뭐지?

승표는 심지어
연우의 첫키스남인데!
그보다 순결한 나랑은
왜 밤샘 불가냐고!

설마…
내가 연우랑 있으면
아직도 쫄려?

여전히 위험하니까!

왜? 신께서 맺어준
인연이라며?
신심 불량이네~.

걱정 마.
당신의 붉은 주술은
제법 강력해.

언제 들어도 명반인 핑크 플로이드.

그 중, 「WISH YOU WERE HERE」.

이건, 승표가 이터널 웨딩을 기획하면서 알게 된 사실이야.

와아~~. 멋지시네!

승표 아버님이 PINK FLOYD 골수팬이셨다니! 대박~.

그러게. 클래식이나 발라드 느낌이신데.

진보 음악 취향 유전자는 승진 형에게 건너갔구먼~.

아버지가 어머니에게 처음 들려주신 노래,

원작자는 친구를 그리워하며 불렀지만, 아버지에겐 러브송이었지.

WISH YOU WERE HERE….

어머니와 함께하고 싶다는 최초의 고백.

그래서,
너희는?

언제, 누가,
고백할 건데?

우선
거리를 좁혀야
하지 않겠어?

고백은
무슨….

눈에서 멀어지면
마음도 멀어진단 말
정말이여~.

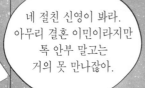

네 절친 신영이 봐라.
아무리 결혼 이민이라지만
톡 안부 말고는
거의 못 만나잖아.

이래저래 바쁘고
멀다 보니 그렇지, 뭐.
그래도 2년에 한 번은
들어와서 보잖아.

됐고,

네가 가든가 그가 오든가.
결단을 내릴 때라고!
이 겁쟁이들아!!!

늬들,
여름날의 재회 때도
그랬어.

뜬구름 잡다가
뻘쭘한 빠이빠이 할 게
100%라
우리가 출동했었지!

덕분에
여기까지
온 거여~.

늬들 그날
커피로 끝날 것을
밥에, 후식에, 술 3차까지
인연의 시간을
재연결한 거라고~.

뭐, 역시 후식은 해준이 씹는 게 젤 맛있긴 했지만! 하하하.

아! 여기! 이 부분도 좋아!

한눈에 담을 수 없는 넓고 푸른 하늘, 그렇게 맞닿은 바다….

그들을 배경으로 걷는 넌 움직이는 섬이다.

너는 그 모든 세상의 중심.

네 발끝을 축으로 중력을 딛고 풍경의 각도가 살아 숨쉰다.

온통 너를 향한 연서네~. 좋으시겠어요, 아씨~.

나의 고독한 섬, Blue island….

보고 싶다.

사랑합니다~!!

진심입니다~~!!!

할머니,
그거 아세요?

아빠가 엄마에게
10년째 차인 거.

삼촌 말대로
엄마 가슴 어딘가
얼음 조각이
남아 있는 걸까요?

그건,

할미 탓이다.

네 아버지를
겨울에 두고 온
마녀가 나거든.

미안하구나.

할머니는 무조건 용서!!!

엄마가 그랬어요.

할머니가 나를 멋진 세상으로 초대했다고.

고마워요, 초대에 응해주어서. 천사님.

삐꼬리꼬리꼬링~

와~, 엄마 왔다!!

엄니~!

넘어질라! 녀석….

보고 싶었어요~, 엄마~.

우리 미카!

엄마가 더~~ 보고 싶었어!

축하해! 울 강아지!

데뷔 첫 콘서트, 7분 매진이라니!

정말 자랑스럽다!!!

아빠가 섰던 스타디움 무대도 멀지 않았네?

헤헷!

울 미카의 꿈이었잖아?

할머니! 드디어 **엄마가 왔어요!**

다녀왔습니다.

고생 많았네.

웨딩 밴드
무대에
서고 싶어요.

엄마 아빠
결혼식.

미카⋯.

사랑합니다!
홍승표 작가님~!
진심입니다!!

이번에 나온
『WISH YOU WERE HERE』
완전 대박!

우리 앨범하고
감성 주파수가 맞아!
걍 BOOK OST라 해도
좋을 만큼!

나, 아무래도
할머니 찬스 써서
작가님께
친구 신청 해야겠어요.

홍승표

아빠도 홍 작가님
만난 적 있죠?

음…,
아주 오래전.

만났다기보다
스치듯 두어 번.

어땠어요?

준모 삼촌 말로는
다정다감을 인격화한
그 잡채라고 하던데?

어딘가
할아버지랑
비슷해.

서고에 파묻혀 살던
그 특유의 분위기.

그래서 할머니가
좋아하시는 걸지도.

준모 삼촌
말이 맞네.

아빠가
미묘하게
질투하는 사람.

뭐?

띠링
...

아빠.

엄마한테 충성해요.

죽을 때까지.

계속 프러포즈해요.

엄마가
허락할 때까지.

응.

그럴 거야.

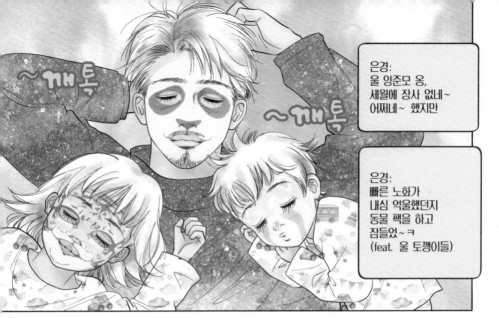

아~ 정말,
시간이 아무리 흘러도
불편해.

승표:
귀엽잖아.
난 그때도 좋았지만,
요즘 해준이 더 좋아.
스무 살 청춘으로
회귀하는 거 같아서.

아, 미안.
또 깜빡하고 실언했네.
당신들 사랑
아무도 못 이기는데~ㅋ

은경:
냅두면 스티커 팩
될 때까지 자니까
제거~.

귀여워!
준모 형 껌딱지들.

은경:
자, 그럼 나도 이만
퇴장할 테니
두 분 밀담 맘껏 하소.
껌딱지 프로젝트~.
휘리릭~~.

삐리리리...

뭐야,
본격적인 밀담?

나⋯,
다음 달 장기 휴가
신청할 거야.

너한테
가려고.

깜짝쇼 했으면
어긋날 뻔했네.

거기
꼼짝 말고 있어.

나, 다음 주에
한국 들어가.

완전히.

정말?

울 작가님!
갓벽해!
완벽한 지덕체
헌신이야!!

글 잘 쓰지,
인성 갑에
초꽃미남!

응!
졸라 잘생겼어!
사진이 실물
못 따라가!

책 받을 때
손가락 스쳤는데
향기도 좋았어!

목소리도
너무 다정해서
귀 녹는 줄!!!

진심으로 사랑합니다!
평생 글 써주세요!
작가님! 했더니,

작가 사인회

WISH YOU WERE HERE

색의 공감 지대에서 만나는 로맨틱 리

나랑 눈 맞추며,
사랑합니다, 독자님!
진심으로 감사합니다,
하는데,

와~~,
심장 터지는 줄!

야, 너두?
어, 나두!!

죽을 때까지
팬 할 거야!

우리 중에
먼저 가는 사람은
관 속에 작가님 책 넣고
묻자고!

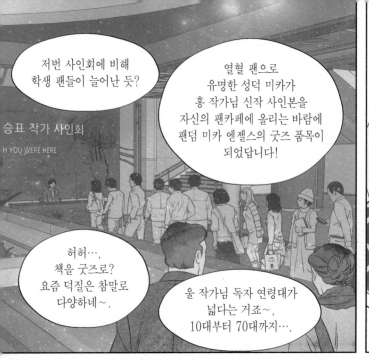

저번 사인회에 비해
학생 팬들이 늘어난 듯?

열혈 팬으로
유명한 성덕 미카가
홍 작가님 신작 사인본을
자신의 팬카페에 올리는 바람에
팬덤 미카 엔젤스의 굿즈 품목이
되었답니다!

승표 작가 사인회

H YOU WERE HERE

허허…,
책을 굿즈로?
요즘 덕질은 참말로
다양하네~.

울 작가님 독자 연령대가
넓다는 거죠~,
10대부터 70대까지….

열렬한
할미 팬입니다.

30년 가까이
응원해왔어요.

아…!

큰어머니의 배다른 막내 여동생. 한때 내 유치원 등원을 도와주던, 상냥한 이모였던 사람.

건강해 보이셔서 다행입니다.

멋진 작가님이 되었네.

우리의 관계가 어떻든, 난 네가 사랑스러웠어.

힘이 없어 언니 유학길에 따라나서긴 했지만, 너에게 미안했지.

그래도 승진이 있어 안심했어.

언젠가 그가 널 지켜줄 거라 믿었거든..

같은 처지의 동질감이랄까.

큰어머니 장례식 이후 십수 년 만의 재회다.

형도 비슷한 이야기 한 적 있어요.

승진이에 대한
네 마음,
조금은 이해해.

나도
큰 언니만이
곁을 내주었거든.

네. 여전히
형님 몫
하고 있죠.

이젠
아버지의 짐까지
짊어져
더욱 바쁘고요.

형부, 네 아버지는
좋은 사람이었어.

정략결혼이지만
최선을 다했지.

하지만
시월드 지옥.
우명지 여사
잘 알잖아.

며느리에겐
최악의 시어머니.

아니,
손자를 제외한
모든 인간에게
냉혹했던 사람.

지긋지긋한
홍승표.

꼭 여기여야만
속이 후련했냐?

왔어요,
형?

하여튼
고집하고는.

어머니와
가장 행복했던 시간.
어머니가 마지막까지
머물렀던 공간.

뭐, 그런 건
이해한다만.

오…, 형님~!

근데 외부는 전혀 손대지 않고 가구류 새로 바꾸고 부엌 공사 하는데 뭔 한 달씩이나?

지금이라도 다른 곳….

지하실 누수가 발견되어서 내부 보강 공사가 필요하대.

무너진 나무숲 담벼락도 다시 쌓고….

됐다. 어찌 됐든 곁에 두고 패는 게 편하고 빠르니까.

살살해, 형.

무튼, 너! 여권 압수야!

잠정 무기한.

와~,
승표야!!!

보인다!

겨울 바다!!

빨리 와!
계단 아래가
바다야!

또, 표지판
못 봤구나?

아….

조심해,
현빈아.

경사도 가파르고
서리 내려서 미끄러워.

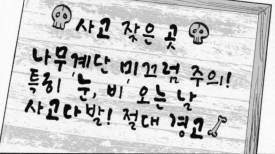

☠ 사고 잦은 곳 ☠
나무계단 미끄럼 주의!
특히 '눈, 비' 오는 날
사고다발! 절대 경고

그곳 위험해요.

응….

안전한
쪽으로 와.

그때의 우린
서로의 방패, 비상구,
그림자로
변명의 저울에
사랑을 올렸다.

기억나?

우리
처음 만난 계절,
봄 아니고
겨울이야.

두 번 다시
내 등에 업힌 행운을
실어 나르는 일은
없을 거야.

응.
봄날 오토바이가
강렬해서,
한참 후에 기억났지.

나야말로.
절대 이 손 안 놓을 거야.

그동안 놓친
시간을 달려
따라잡을 거야.

이제야 너에게
똑바로 걷는다.

비로소 마주한,
내가 볼 수 있는 모든 풍경 속의 주인.

시간의 강을 건너 찾아낸
색의 공감지대.

그토록 원하던,
숨김 없이 자신을 내비칠 수 있는
나만의 거울.

그렇게 당신과 나,

함께 시작하는
첫사랑으로.

—「BLUE」에필로그 마침—

LEE EUN HYE SPECIAL EDITION
BLUE 6

2024년 5월 25일 초판 1쇄 발행

저자 이은혜

발행인 정동훈
편집인 여영아
편집책임 최유성
편집 양정희 김지용 김혜정 조은별
디자인 디자인플러스

발행처 (주)학산문화사
등록 1995년 7월 1일
등록번호 제3-632호
주소 서울특별시 동작구 상도로 282 학산빌딩
편집부 02-828-8988, 8836
마케팅 02-828-8986

ISBN 979-11-411-3211-8 (07650)
ISBN 979-11-411-3205-7 (세트)

값 16,500원